a Journey to Rome

© 2006
Tutti i diritti spettano a
Palombi & Partner Srl
Via Timavo, 12
00195 Roma
www.palombieditori.it
e
Danièle Ohnheiser

VI ristampa 2012

Progettazione e realizzazione grafica
e redazionale a cura della Casa Editrice

ISBN 978-88-6060-082-X

a Journey to Rome

with Dickens, Shelley, Ruskin, Goethe, Stendhal

Palombi Editori

Danièle Ohnheiser è nata in Francia.
Dopo gli studi alla scuola di architettura del paesaggio di Versailles,
si è dedicata alla pittura, specializzandosi nella tecnica ad acquarello.

Volumi pubblicati

Description de Marseillle
Coup d'œil sur Belœil
Promenade à Villa Borghese
Voyage à Rome (anche in lingua cinese)
Voyage à Florence
Voyage à Naples et Pompéi
A journey to Rome
A journey to Florence
A journey to Naples and Pompeii
Cafés Romains
Caffè Romani
Cuisine d'Alsace
Pâtes, amour & fantaisie, mes recettes d'Italie
Impressions d'Assise avec saint François

For at least two generations of intellectuals and artists, a journey to Rome presented the crowning and culminating phase of their self-shaping process: the irresistible attraction of the mirabilia urbis *stirred the imagination of poets, painters, historians and architect who, not uncommonly, once having arrived in Rome decided to stay, completely won over by the spell of a city which is unique in the world. An anthology of extracts from letters, diaries and memoirs of famous "travellers" provided the seed for this collection of water-colours which give us views and glimpses of Rome which are totally novel, yet in some way familiar to us, like a déja-vu which suddenly reawakens slumbering nostalgic thoughts.*

To leaf through the pages of this book is like walking through a dreams.

For what the fluent inspiration and the technical skill of Danièle Ohnheiser's painting has given us is a portrait of Rome which resides in the collective imagination. In the chiaroscuro, the bluish and opaque veiling, the delicate hues ranging from pink to ochre which shadow the facades of the churches and buildings, the transparent light flooding the squares and highlighting the domes and roofs, Danièle Ohnheiser restores to us the innermost countenance and atmosphere of Rome, which for many remains an unattainable object of desire.

Roberto Pioppini

to Andrea

Proprio mentre stavamo partendo cominciammo, in modo febbrile, a sforzarci di vedere Roma; e quando, dopo un altro miglio o due, la Città Eterna apparve, finalmente, in lontananza, sembrava – mi spiace un po' scrivere la parola – come LONDRA!!! Era adagiata lì, sotto una densa nuvola, con innumerevoli torri, e campanili, e tetti di case, che si innalzavano verso il cielo, e sopra a tutti, una cupola.

Ti assicuro che come mi accorsi dell'apparente assurdità del paragone, somigliava così a Londra da quella distanza, che se in quel momento me l'avessero potuta mostrare in un cannocchiale, non l'avrei scambiata per nient'altro.

When we were fairly going of again, we began, in a perfect fever, to strain our eyes for Rome; and when, after another mile or two, the Eternal City appeared, at length, in the distance; it looked – I am half afraid to write the word – like LONDON !!! There it lay, under a thick cloud, whit innumerable towers, and steeples, and roofs of houses, rising up into the sky, and high above them all, one Dome.

I swear, that keenly as I felt he seeming absurdity of the comparison, it was so like London, at that distance, that if you could have shown it me, in a glass, I should have taken it for nothing else.

Sì, sono arrivato finalmente in questa capitale del mondo!… Attraverso le Alpi tirolesi son passato quasi di volo. Ho visto bene Verona, Vicenza, Padova e Venezia; di sfuggita Ferrara, Cento e Bologna; Firenze appena appena.

L'ansia di arrivare a Roma era così grande ed aumentava talmente ad ogni istante, che non potevo più star fermo, e a Firenze non mi son trattenuto che tre ore. Eccomi ora a Roma, tranquillo, e, a quanto sembra, acquietato per tutta la vita… Tutti i sogni della mia giovinezza ora li vedo vivi; le prime incisioni di cui mi ricordo (mio padre aveva collocato in un'anticamera le vedute di Roma), ora le vedo nella realtà e tutto ciò che da tempo conoscevo, di quadri e disegni, di rami o di incisioni in legno, di gessi o di sugheri, tutto ora mi sta raccolto innanzi agli occhi, e dovunque io vada, trovo un'antica conoscenza in un mondo forestiero.

Tutto è come lo immaginavo e tutto è nuovo.

Yes, I have at last arrived in this capital of the world! I flew over the mountains of the Tyrol. I saw Verona, Vicenza, Padua and Venice well, Ferrara, Cento and Bologna in some haste, and only caught a glimpse of Florence.

My desire to see Rome was so intense that I could not longer stay still and I only detained myself three hours in Florence. And here I am at last in Rome, calm and, from what I can understand, appeased for the rest of my life… I finally see all the dreams of my youth materialize; the first etchings which I remember (my father had placed the ones of Rome in an ante-chamber) are now before my eyes in fact, everything I have know so long through paintings, drawings, copperplates, wood plaster and cork-cuttings, is now laid out before me; wherever I go I find an ancient knowledge of a new world. Everything is like I had imagined it, yet all is new.

*Q*uando arrivi a Roma ricevi biglietti di invito da tutti i tuoi connazionali che vivono in quella città. Si aspettano che la visita sia ricambiata il giorno successivo, quando dispongono di non essere a casa; e successivamente non ci si parla mai l'un l'altro. Si tratta di una ricercatezza nell'ospitalità e nella cortesia che gli inglesi hanno inventato con la forza del loro ingegno, senza alcun aiuto da Francia, Italia o Lapponia.

*W*hen you arrive at Rome you receive cards from all your country-folks in that city. They expect to have the visit returned next day, when they give orders not to be at home; and you never speak to one another, in the sequel. This is a refinement in hospitality and politeness which the English have invented by the strength of their own genius, without any assistance either from France or Lapland.

Gli ultimi tre o quattro giorni ho passato regolarmente un paio d'ore dopo mezzogiorno a rosolarmi al sole del Pincio per liberarmi dal raffreddore. Tempo perfetto e folla (specialmente oggi) sorprendente. Una folla così vistosa, perditempo, agghindata, amabile! Chi fa il volgare lavoro casalingo a Roma? Tutta la gente importante e la metà degli stranieri sono lì nelle loro carrozze, la borghesia a piedi che li fissa e i mendicanti allineati lungo tutti gli accessi. La grande differenza tra i luoghi pubblici in America e in Europa consiste nel numero di persone inattive di ogni età e condizione sedute da mane a sera sulle panchine a fissarti dalla testa ai piedi, quando passi. L'Europa è sicuramente il continente dove si esercita l'osservazione.

The last three or four days I have regularly spent a couple of hours from noon baking myself in the sun of the Pincio to get rid of a cold. The weather perfect and the crowd (especially today) amazing. Such a staring, lounging, dandified, amiable crowd!

Who does the vulgar stay-at-home work of Rome? All the grandees and half the foreigners are there in their carriages, the bourgeoisie on foot staring at them and the beggars lining all the approaches. The great difference between public places in America and Europe s in the number of unoccupied people of every age and condition sitting about early and late on benches and gazing at you, from your hat to your boots, as you pass. Europe is certainly the continent of the practised stare.

Sia che si percorra la città o ci si fermi per via, vediamo innanzi paesaggi d'ogni specie, palazzi e rovine, giardini e luoghi incolti, sfondi e angiporti, casupole, stalle, archi trionfali e colonne, e tutto spesso così vicino che si potrebbe riprodurlo sopra un foglio solo. Bisognerebbe incidere con mille ceselli; che cosa può fare, qui, una sola penna?

Wherever one goes, wherever one stops, landscapes of all varieties are disclosed, palaces and ruins, gardens and wastelands, distant or cluttered horizons, small houses, stables, triumphal arches and columns, most in such close proximity that they could be set down on a single sheet. One would need to etch with a thousand gravers, what could a single pen accomplish here?

Di tutte queste antichità, la più grande, la più importante, la più nobile, la più severamente magnifica è, a mio gusto, il Palazzo Farnese. Solo, nel mezzo di una piazza grigiastra si erge l'enorme palazzo, compatto e imponente come una fortezza capace di ricevere e di rendere gli attacchi di artiglieria.
È [opera] dell'epoca d'oro: i suoi architetti, il Sangallo, Michelangelo, il Vignola, soprattutto il primo, vi hanno impresso l'autentico carattere del Rinascimento, quello del vigore virile...
Al di sopra di questa grande facciata pressoché nuda, il cornicione che funge da bordura al tutto è al tempo stesso ricco e severo e il suo percorso continuo, così ben appropriato e nobile, mantiene insieme tutta la massa, in modo che il tutto forma un solo corpo.

Of all these fossils, the largest, the most imposing, the noblest, the most austerely magnificent is, in my opinion, Palazzo Farnese. Alone in the middle of a blackish square the enormous palace stand massive and high, like a fortress which can take gunfire and pay it back.
It is from the great age; its architects, San Gallo, Michelangelo, Vignola, particularly the former, imprinted it with the true character of the Renaissance, manly vigour. Above this great almost naked façade, the cornice which runs along the rim of he roof is both rich and austere and its continuous frame, which is so appropriate and noble, holds the whole of the building together, so that it all becomes a single body.

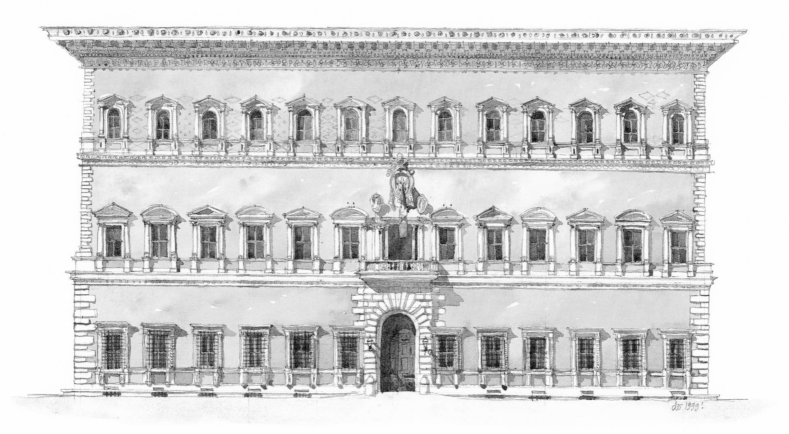

Ed era lì il colle Capitolino, il più glorioso dei sette colli, con la sua fortezza, con il suo tempio al quale era promesso l'impero del mondo, il San Pietro della Roma antica!

Questa collina scoscesa dal lato del Foro, a picco dal lato del Campo Marzio, di aspetto formidabile!

… I trionfatori vi salivano, gli imperatori vi divennero degli dei, in piedi nelle loro statue di marmo. E gli occhi, a quest'ora, si chiedono con stupore come tanta storia, tanta gloria siano potute esistere in così poco spazio, questo isolotto montuoso e pieno di costruzioni mediocri, un monticello di terra non più grande di un piccolo borgo appollaiato tra due vallate.

And there was the Capitoline Hill, the most glorious of the seven hills, with its fortress, with its temple to which the dominion of the world was promised, the Saint Peter's of Ancient Rome.

This hill, which is steep over the Forum and precipitous over the field of Mars, of such formidable appearance!… The celebrators of triumphs ascended to it, the emperors became gods there, standing in their marble statues. And one's eyes seek out with astonishment how so much history, so much glory could be contained in so little space, this rocky island cluttered with wretched little houses, a rabbit warren no lager than a little hamlet perched between two valleys.

Il Foro è una pianura nel centro di Roma, una specie di deserto pieno di cumuli di pietre e di buche, e sebbene così vicino alle abitazioni, è il posto più desolato che si possa immaginare. Le rovine dei templi stanno dentro e intorno ad esso, frammenti di colonne e file di altre che sostengono cornici di squisita fattura, e ampie volte di cupole in pezzi divise in partizioni regolari, un tempo colme di sculture d'avorio e d'ottone. I templi di Giove, della Concordia, della Pace, del Sole, della Luna e di Vesta, sono tutti entro una breve distanza da qui. Guardate i ruderi di ciò che un tempo una grande nazione dedicò alle astrazioni della mente!

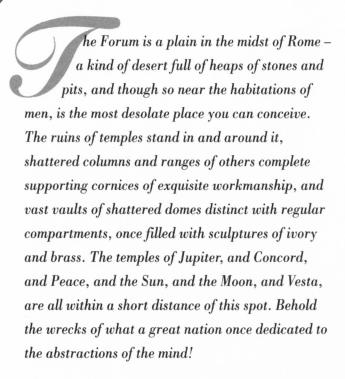

The Forum is a plain in the midst of Rome – a kind of desert full of heaps of stones and pits, and though so near the habitations of men, is the most desolate place you can conceive. The ruins of temples stand in and around it, shattered columns and ranges of others complete supporting cornices of exquisite workmanship, and vast vaults of shattered domes distinct with regular compartments, once filled with sculptures of ivory and brass. The temples of Jupiter, and Concord, and Peace, and the Sun, and the Moon, and Vesta, are all within a short distance of this spot. Behold the wrecks of what a great nation once dedicated to the abstractions of the mind!

Qualche giorno fa un Inglese è arrivato a Roma con i suoi cavalli, che l'hanno portato qui dall'Inghilterra. Non ha voluto un cicerone e, malgrado la sentinella, è entrato a cavallo nel Colosseo. Vi ha visto un centinaio di operai che lavorano in continuazione per consolidare qualche pezzo di muro crollato in seguito alle piogge. L'Inglese li ha guardati fare, poi la sera ci ha detto: «Oh! Il Colosseo è la cosa più bella che ho visto a Roma. Questo edificio mi piace; sarà magnifico quando sarà finito.» Credeva che quei cento uomini stessero costruendo il Colosseo.

Stendhal

Le vedute aeree del Colosseo, come le vedute dall'alto che si hanno dalla cima della sua parete esterna, fanno pensare a cerchi concentrici incatenati tra loro, ai delicati contorni della spirale interna del guscio di un'enorme conchiglia, di un'ammonite sezionata.

Gracq

Mai visto in vita mia qualcosa di così brutto come il Colosseo.

Ruskin

A few days ago an Englishman arrived in Rome with his horses which had borne him from England. He declined a guide and despite the efforts of the sentry he rode his horse into the Coliseum. There he saw a hundred or so bricklayers and forced labourers who are constantly at work to repair the pieces of wall which get washed away by the rains. The Englishman watched them work and then in the evening told us: "By God! The Coliseum is the finest thing I've seen in Rome. I like this building, when it's finished it will be truly magnificent". He thought those hundred men were building the Coliseum.

Stendhal

The aerial views of the Coliseum, as all the plunging views one gains from the crest of its outer wall, put one in mind of the coiled convolutions, the delicate partitions of a great shell, a cross-sectioned ammonite.

Gracq

Never saw such an ugly thing as the Coliseum in my life.

Ruskin

Non ci deve abbattere il pensiero che la grandezza è passeggera; ma piuttosto, riflettendo che il passato è stato grande, dobbiamo acquistar coraggio per produrre anche noi qualcosa di notevole, che a sua volta, anche quando sarà caduto in rovina, ecciti i posteri a una nobile attività, come non hanno mai mancato di fare i nostri predecessori.

Would not be cast into dejection by the thought that what is great is transient.
If instead we find that the past was great, that should encourage us to produce some great work ourselves, which when it too falls to ruins, will spur our descendants to undertake some noble activity, as our forebears never failed to do.

SENATVS
POPVLVSQVEROMANVS
DIVOTITODIVIVESPASIANIE
VESPASIANOAVGVSTO

Si entra nel tempio, sotto l'alta cupola che si allarga in tutte le direzioni come un cielo interno; la luce cade magnificamente a picco da un'unica apertura della cima, e, accanto a questa chiarezza viva, delle ombre fredde, delle ceneri trasparenti, strisciano e cadono lentamente lungo le curvature.

One enters the temple, under the high dome, which opens out in all directions rather like an inner sky; the light falls magnificently in a great cascade, through the solitary aperture of the roof, and, alongside this sharp brightness, cold shadows and transparent specks of dust slither slowly over the curves.

Era proprio Roma, finalmente; e una tale Roma che nessuno può immaginare nella sua piena e maestosa grandezza! Vagammo verso la via Appia, e poi proseguimmo, attraverso miglia di tombe in rovina e muri crollati, e qui e là una casa diroccata e disabitata: più avanti il Circo di Romolo, dove la pista dei carri, le postazioni dei giudici, dei concorrenti e degli spettatori, sono ancora facili da vedere come nei tempi andati; poi la tomba di Cecilia Metella; di là è tutto recinzioni, siepi, o pali, muri o steccati; lontano l'aperta campagna, dove in quella parte di Roma non c'è da vedere altro che rovine. Tranne dove i lontani Appennini delimitano il panorama sulla sinistra, tutto il paesaggio è una distesa di ruderi. Acquedotti distrutti, abbandonati in gruppi di archi molto pittoreschi e belli; templi crollati; tombe in frantumi. Un deserto di decadenza, triste e desolato oltre ogni dire; e con una storia in ogni pietra che ricopre il terreno.

Here was Rome indeed at last; and such a Rome as no one can imagine in its full and awful grandeur! We wandered out upon the Appian Way, and then went on, through miles of ruined tombs and broken walls, with here and there a desolate and uninhabited house: past the Circus of Romulus, where the course of the chariots, the stations of the judges, competitors, and spectators, are yet as plainly to be seen as in old time: past the tomb of Cecilia Metella: past all enclosure, hedge, or stake, wall or fence: away upon the open Campagna, where on that side of Rome, nothing is to be beheld but Ruin. Except where the distant Apennines bound the view upon the left, the whole wide prospect in one field of ruin. Broken aqueducts, left in the most picturesque and beautiful clusters of arches; broken temples; broken tombs. A desert of decay, sombre and desolate beyond all expression; and with a history in every stone that strews the ground.

Ah! Roma, Roma
meravigliosa e deliziosa!
Si viveva dell'atmosfera
del tempo, poveri come Giobbe, nella gioia
continua di respirarne l'incanto.

Ah! Rome, wonderful and
delightful Rome.
One lived on air,
as poor as Job, in the perpetual joy
of breathing its spell.

*Q*uel che vi è di più affascinante qui,

è quello che si incontra camminando,

senza aspettarselo.

*T*he most enchanting things, here are those
one runs into unexpectedly on one's way.

...*h*o provato la più grande felicità della mia vita e ora conosco il grado massimo, sul quale potrò misurare d'ora in poi il termometro della mia esistenza.

...*h*ave experienced the greatest happiness of my life and now I know the highest degree which from now on I shall be able to use to set the thermometer of my life.

Il giorno dopo appena usciti, ce ne siamo andati in fretta a San Pietro. Sembrava immensa da lontano, ma decisamente piccola, in confronto, più da vicino. La bellezza della piazza, in cui si trova, con i suoi mirabili gruppi di colonne e le sue fontane zampillanti – così fresche, larghe, e libere, e belle – nulla può esagerare. La prima esplosione dell'interno, in tutta la sua grande maestosità e gloria e, soprattutto, il guardare in su nella cupola: una sensazione da non dimenticare.

Immediately on going out next day, we hurried off to St. Peter's. It looked immense in the distance, but distinctly and decidedly small, by comparison, on a near approach. The beauty of the Piazza, on which it stands, with its clusters of exquisite columns and its gushing fountains – so fresh, so broad, and free, and beautiful – nothing can exaggerate. The first burst of the interior, in all its expansive majesty and glory and, most of all, the looking up into the Dome: is a sensation never to be forgotten.

L'ho già fatto un gozzo in questo stento,
coma fa l'acqua a' gatti in Lombardia o ver d'altro
paese che si sia, c'a forza 'l ventre appicca sotto 'l mento.
La barba al cielo, e la memoria sento in sullo scrigno,
e 'l petto fo d'arpia, e 'l pennel sopra 'l viso tuttavia mel fa,
gocciando, un ricco pavimento.

E 'lombi entrati mi son nella peccia,
o fo del cul per contrapeso groppa,
e 'passi senza gli occhi muovo invano.

Dinanzi mi s'allunga la corteccia,
e per piegarsi adietro si ragroppa,
e tendoimi com'arco soriano.

Però fallace e strano surge il giudizio che la mente porta,
ché mal si tra' per cerbottana torta.

La mia pittura morta difendi orma', Giovanni, e 'l mio onore,
non sendo in loco bon, né io pittore.

This comes from dangling from the ceiling –
I'm goitered like a Lombard cat
(or wherever else their throats grow fat) – it's my belly
that's beyond concealing, it hands beneath my chin like peeling.
My beard points skyward, I seem a bat Upon its back,
I've breasts and splat! On my face the paint's congealing.

Loins concertina'd in my gut,
I drop an arse as counterweight
And move without the help of eyes.

Like a skinned martyr
I abut on air, and, wrinkled, show my fat.
Bow-like, I strain toward the skies.

No wonder then I size things crookedly; I'm on all fours.
Bent blowpipes send their darts off-course.

Defend my labour's cause, good Giovanni, from all strictures:
I live in hell and paint its pictures.

Si fermò qualche minuto per guardare il Vaticano... Cosa c'era dietro quel Portone di Bronzo, che scorgeva là, davanti a lui, e che era la soglia sacra, la comunicazione tra tutti i regni della terra e il regno di Dio, il cui augusto rappresentante si era rinchiuso tra queste alte mura di cinta silenziose? Lo esaminò da lontano, con i suoi pannelli di metallo guarniti con grossi chiodi a testa quadrata e si domandò cosa difendeva, cosa murava con la sua aria dura da antica porta di fortezza.

He stopped a few minute to look at the Vatican... What lay behind that Bronze Door, which he descried there before him, and which was the sacred threshold of communication between all the kingdoms of the earth and the kingdom of God, whose august representative had imprisoned himself behind these high silent walls? He examined it from afar, with its silent metal panels, fitted with large square-headed nails and the wondered what it defended, what it immured with its harsh appearance of an ancient fortress gate.

Dal tavolo su cui scrivo vedo i tre quarti di Roma; e, davanti a me, dall'altra parte della città, si alza maestosa la cupola di San Pietro. La sera, quando tramonta il sole, la scorgo attraverso le vetrate di San Pietro, e, una mezz'ora dopo, questa cupola ammirevole si staglia su questa tinta così pura di un crepuscolo arancione sormontato nell'alto del cielo da qualche stella che comincia ad apparire. Niente al mondo può essere paragonato a questo spettacolo. L'anima si leva attenta, una felicità serena la penetra tutta. Ma mi sembra, che per essere all'altezza di queste sensazioni, occorre amare e conoscere Roma da molto tempo. Un giovane che non ha mai conosciuto l'infelicità non le comprenderebbe.

From the table I am writing at I can see three quarters of Rome; and before me on the other side of the city the Dome of St. Peter's soars majestically. In the evening, when the sun sets, I can glimpse it through the windows of Saint Peter's and half an hour later, this admirable dome is outlined against a pure orange-hued sunset, surmounted high in the sky by a few stars which begin to appear. Nothing on earth can compare to this. One's soul is heedful and uplifted, a quiet bliss penetrates it entirely. But to me it seems that in order to live up to these sensations one needs to have loved and known Rome for a long time. A young man who had never encountered unhappiness would not be able to understand them.

... *r*itornando per Ponte Sant'Angelo vi erano in alto alcune nuvole alla Turner – rosse – e una luce giù per il fiume – su, voglio dire! –; colto il tutto per un istante meraviglioso mentre la carrozza percorreva il ponte, con lo stendardo sventolante dalla batteria di Sant'Angelo piegato al sole: la cosa migliore che abbia visto finora a Roma.

... *a*s we returned over the Ponte Sant'Angelo there were a few of the Turner clouds above – scarlet – and a light down the river – up I mean! –; caught for one glorious instant as we drove over the bridge, with the standard waving from the battery of St. Angelo broad in the sun: the best thing I have seen in Rome yet.

*n*iente di più formidabile di questi enormi
monasteri, questi palazzi squadrati,
dove non brilla nessuna luce,
e che si stagliano, isolati nella loro massa inattaccabile,
come una fortezza in una città assediata.

*t*here is nothing more
formidable than these
enormous monasteries,
these square buildings where no light shines and which
stand out, insulated in their unassailable mass as a
fortress in a besieged city.

Non si può dire di aver visto Roma quando non si sono percorse le strade dei suoi quartieri con spazi vuoti, giardini pieni di rovine, recinti con all'interno alberi e vigne, chiostri dove si levano palme e cipressi, gli uni assomigliano a donne orientali, gli altri a religiose in lutto.

One has not seen Rome until one has walked the streets of its districts, which combine empty spaces, gardens filled with ruins, enclosures planted with trees and vines, cloisters wherein palm and cypress trees stand, the former resembling oriental women, the latter nuns in mourning.

Roma è come se fosse una città di morti, o piuttosto di quelli che non riescono a morire e sopravvivono alle gracili generazioni che vivono e muoiono nel posto che hanno consacrato per l'eternità. A Roma, almeno nell'entusiasmo iniziale con cui si riconosce l'antichità, non si vede niente degli italiani. La natura della città favorisce la delusione, perché le sue mura estese e antiche descrivono una circonferenza di sedici miglia, e quindi la popolazione è sparpagliata in quest'area grande quasi come Londra. Al suo interno sono racchiusi immessi campi selvaggi, e viottoli erbosi e boschetti sinuosi tra le rovine e una grande collina verde, solitaria e brulla, che si sporge sul Tevere. I giardini dei palazzi moderni sono come boschi selvaggi di cedro, cipresso e pino, e i viali abbandonati sono ricoperti di erbacce.

Rome is a city, as it were, of the dead, or rather of those who cannot die and who survive the puny generations which inhabit and pass over the spot which they have made sacred to eternity. In Rome, at least in the first enthusiasm of your recognition of ancient time, you see nothing of the Italians. The nature of the city assists the delusion, for its vast and antique walls describe a circumference of sixteen miles, and thus the population is thinly scattered over this space nearly as great as London. Wide wild fields are enclosed within it, and there are grassy lanes and copses winding among the ruins and a great green hill, lonely and bare, which overhangs the Tiber. The garden of the modern palaces are like wild woods of cedar, and cypress and pine, and the neglected walks are overgrown with weeds.

Sono andato a San Giovanni in Laterano, e da lassù una veduta tra le più sorprendenti – più di tutte, forse – ch'io abbia contemplato finora a Roma: acquedotti di grande lunghezza mescolati con le antiche mura, il tutto ormai in rovina.

A far da contrasto, un bianco convento, bello nella forma, e profili davvero perfetti di Appennini azzurri in distanza. Quanto è dato umanamente immaginare in fatto di paesaggio classico, più la facciata della chiesa, nobilissima: uno degli esempi di facciata nitida e spaziosa come quelle di San Pietro e di Santa Maria Maggiore, con colonne composite per l'intera altezza.

Went up to St. John Lateran, whence one of he most striking distant bits – perhaps the most so – I have yet seen in Rome: aqueducts of great length up with the old walls, both knocked to pieces; a white piece of convent, beautifully formed, interrupting them; with very perfect forms of blue Apennines in distance. All that one can imagine of classical in landscape, and the front of the church very noble; one of the clear hollow pieces of front work which they have at St. Peter's and St. Maria Maggiore, with composite columns of the whole height.

Al ritorno, abbiamo seguito una strada, che sale e scende, fiancheggiata da palazzi e vecchie siepi di spine, fino a Santa Maria Maggiore. Su una larga altura, la basilica, sormontata dalle sue cupole, si erge nobile, e quando vi si entra, il piacere si fa ancora più intenso. E' del quinto secolo, e quando è stata rifatta più tardi, è stato mantenuto il piano generale, tutta l'idea antica.

Un'ampia navata a volta orizzontale si apre, sostenuta da due file di colonne ioniche bianche. Si gioisce di questo grande effetto ottenuto con mezzi così semplici; sembra quasi di trovarsi in un tempio greco: si direbbe che le colonne siano state sottratte a un tempio di Giunone. Ognuna di esse, nuda e levigata, senza altri ornamenti all'infuori delle delicate curvature del suo piccolo capitello, è di una bellezza semplice e affascinante.

Si percepisce tutto l'equilibrio e il fascino della vera costruzione naturale, la fila di tronchi d'albero che sorreggono delle travi e che fungono da ambulacro. Tutto quello che è stato costruito in seguito è solo barbarie…

On our way back, we followed a road which ran uphill and down in between buildings and old thorny hedges as far as Santa Maria Maggiore. On a spacious hilltop, the basilica stands nobly surmounted by its domes, and once one enters, one's pleasure becomes even more acute. It was built in the 5th century and when it was rebuilt later, the general layout and the whole of the original concept were preserved.

A broad horizontally-vaulted nave opens out, sustained by two ranks of white Ionian columns. It is a delight to see the greatness of the effect obtained with such simple devices; one would almost believe oneself to be in a Greek temple: these columns, it is said, were stolen from a temple to Juno. Each of them, naked and polished, with no ornament apart from the delicate curves of their small capitals, is of wholesome and enchanting beauty. One can see the sense and the attraction of a truly natural construction: the row of tree trunks bearing beams placed flat upon them and which acts as a walking gallery.

Everything built later is barbaric…

...Ciò è grande, ecco l'idea che torna incessantemente alla mente. Niente di mediocre, di comune o di piatto: non esiste strada o edificio che non abbia un suo carattere, un carattere netto e forte. Nessuna regola uniforme e restrittiva è venuta ad appiattire e disciplinare questi casermoni. Ognuno è cresciuto a modo suo, senza preoccuparsi degli altri, e questa accozzaglia è bella come il disordine dell'atelier di un grande artista.

...*this is greatness, that is the idea which recurs constantly in one's mind. There is nothing mean, common or flat: there is no street or building without its character, a clear and strong character. No unvarying and restraining rule have been made to level and regulate these buildings. Each has grown in its own way without bothering about the others and the way they are jumbled together is as beautiful as the disorderliness in the studio of a great artist.*

Non c'é che una Roma al mondo ed io mi trovo
qui come un pesce nell'acqua e vi nuoto
e galleggio come la bollicina galleggia sopra
il mercurio, mentre affonderebbe in qualsiasi altro fluido.

There is only one Rome in the world;
and I feel as happy as a fish in water,
and I swim to the surface as a bubble floats on
mercury where it would sink in any other liquid.

All'improvviso, attraverso una porta
socchiusa, si intravede un bosco
di lauri, grandi olivi potati,
un popolo di statue tra giochi d'acqua viva.

Suddenly through a door left ajar,
you see a grove of laurel trees,
enormous pruned boxwood bushes,
and a host of statues among the shooting
water of the fountains.

...ma Roma, al contrario, è piena di queste piazze e piazzette alle quali non conduce nessuna via importante, e nelle quali si scivola all'improvviso come nella camera centrale di un labirinto: e ciò non vale solo per piazza Navona, ma anche per piazza del Campidoglio, per quella dei cavalieri di Malta e di fontana di Trevi.

Lo spettacolo cittadino si svolge spesso, per il passeggiatore solitario, in questi alveoli protetti il cui accesso inaspettato si offre a voi non tanto come utilizzo di una pubblica comodità, quanto come un favore privato.

...but Rome, however, is full of squares, large and small, which are not reached by any major street and into which one slips in suddenly as if into the central room of a labyrinth: this applies not only to Piazza Navona, but to the square of the Capitoline Hill, the square of the Knight of Malta or of the Trevi fountain. The enchantment of the city for the solitary stroller is often linked to these sheltered cells, the sudden access to which seems to be afforded to one not as the use of a general convenience but more out of a personal favour.

Vecchi con la barba fluente, delfini, tritoni, naiadi, cavalli marini, ippocampi che sbuffano, sputano, infangati, che spruzzano acqua e che a loro volta vengono innaffiati, portano sulle piazze di Roma un sabba acquatico inopinato, di cui le fotografie della città, per mancanza dell'effetto sonoro, così decisivo quando si tratta dell'acqua, danno solo una pallida idea... Il gesticolamento barocco trova solo qui il suo vero compimento, quando la roccia liquida, lanciata in tutta frenesia nel ballo di San Vito, sostituisce davanti alle chiese e alle statue, il movimento rigido della pietra indocile.

Old men with flowing beards, dolphins, tritons, naiads, seahorses, hippocampi snorting, spitting, spattered, splashed, sprayers and sprayed, bring to the squares of Rome an unexpected aquatic racket which the photographers of the city can only give a pale idea of without the sound effects which are so vital for water... Baroque gesticulation is only fully accomplished here, when liquid rock, launched in full frenzy into a Saint Vitus' dance, replaces the rigid movement of refractory stone before the churches and statues.

Sul retro di ogni bottega, a Roma, si vede, di sera,
una Madonna illuminata da due lampade.
Non c'è romano, credo, che non abbia
una Madonna anche lui nel suo appartamento.
Sono molto attaccati alla Madre del Salvatore, e sebbene
la polizia si preoccupi di "proteggere questo culto",
non è ancora riuscita a raffreddare il fervore del popolo.
Ho visto degli artisti dipingere una Madonna a fresco
sulle pareti del loro atelier.

*In the back of every shop in Rome
one sees a Madonna lit in the evening by
two lamps. I believe there is no Roman
without a Madonna in his house. They are greatly
attached to the Saviour's Mother; and even though
the police takes it upon itself to "protect this cult",
it has not managed to reduce the fervour of the people.
I have seen artists paint a frescoed Madonna
on the walls of their studios.*

Un grande vive nel suo palazzo come
un barone feudale nel suo castello.
Alle finestre inferriate incrociate,
bullonate, resistenti alla spranga e all'ascia. I blocchi in
pietra della facciata sono lunghi quanto la metà di un uomo,
e né le pallottole, né il piccone intaccheranno la loro massa.

A man of rank lives in his palace like a
feudal baron in his castle.
The windows are grated with crossed
and bolted bars, which are proof against levers and
axes. The rubble stones along the façade of the building
are as long as half a man, and neither bullets nor
pick-axes could bite into their massiveness.

Si potrebbe restare qui tre o quattro
anni e non si finirebbe mai di imparare.
È il più grande museo del mondo.
Tutti i secoli vi hanno lasciato una traccia.
Cosa vi si può vedere in un mese?

One could live here three or four years
and still learn something.
It is the greatest museum in the world.
Every century has left it something.
What can I hope to see in a month?

Mi chiedi di un volume sui costumi, etc., in Italia; forse sono nella condizione di sapere di loro più della maggior parte degli inglesi, perché ho vissuto tra le persone del luogo, e in parti del paese dove gli inglesi non hanno mai abitato prima […] ma ci sono molte ragioni per cui non desidero dare alle stampe questo soggetto. Ho vissuto nelle loro case e nel cuore delle loro famiglie, a volte semplicemente come "amico di casa", a volte come "amico di cuore" della dama, e in nessun caso mi sento autorizzato a fare un libro su di loro. La loro morale non è la tua morale; la loro vita non è la tua vita; non lo capiresti: non è né inglese, né francese, né tedesco, che capiresti appieno.

You ask me for a volume of manners, etc., on Italy; perhaps I am in the case to know more of them than most Englishmen, because I have lived among the natives, and in parts of the country where Englishmen never resided before […] but there are many reasons why I do not choose to touch in print on such a subject, I have lived in their houses and in the heart of their families, sometimes merely as "amico di casa", and sometimes "amico del cuore" of the Dama, and in neither case do I feel myself authorised in making a book of them. Their moral is not your moral; their life is not your life; you would not understand it: it is not English, nor French, nor German, which you would all understand.

Qui, invece, ci troviamo in una grande scuola dove
un giorno dice tante cose,
che non si ha il coraggio di
dare un giudizio su un solo giorno.
Farai assai bene se dimorando qui per alcuni
anni, manterrai un silenzio pitagorico.

Here, on the other hand,
one enters a great school
where one day means so
many things that one must shun the risk of
making any judgement on a single day.
And it would be wise, if one stays here a few years,
to keep a Pythagorean silence.

Respiro male in Italia [...] rinchiuso in città murate, tane municipali dove tutto prolifera sul posto, e si sovrappone, vegeta e si erge sulle proprie rovine. La spinta della crescita qui è tutta verticale, ma i loro grattacieli sono sotto terra, dove ogni secolo li affonda di più nel tufo friabile, ed edifica sulle rovine solo per mantenere una stretta zona di contatto con la luce, alla maniera delle scogliere coralline.

I find it hard to breathe in Italy [...] shut up in walled cities, urban warrens here everything proliferates where it stands, piles up and overlaps, thrives and hauls itself up on its digested debris.

The thrust of growth is all upwards, but their skyscrapers are underground, where each century plunges them further into the crumbly tufa, and only builds on the deep ruins to maintain a slim area of contact with the light, just like a coral bed.

La verità è che, per una città contemporanea, rispondere al visitatore di un nome divenuto semplicemente fantastico come Roma è un impegno che non può essere mantenuto. Niente può impedire che alla pronuncia di un nome leggendario venga alla mente un'immagine architettonica così smisurata, così folle come il palazzo di Kubla Khan, così compiuta e modellata con un unico blocco come quella che sorge in nome di Babilonia. E si ha davanti semplicemente una bella capitale del XX secolo – tiepida, assolata, piacevole da visitare e da abitare – …

The truth is that, for a contemporary city, living up to a name which has become fabulous like Rome before the visitor is attempting the impossible.

Nothing can prevent the uttering of a legendary word from stirring the mind to imagine an architectural vision as vast and mad as Kublai Khan's palace, as complete and moulded in a single block as the vision evoked by the name of Babylon. And all here is before one, is a beautiful 20th century capital – balmy, sunlit, pleasant to visit and to live in – …

Se avrò l'opportunità di finire qui i miei giorni, mi sono organizzato per avere una piccola nicchia a Sant'Onofrio, contigua alla stanza dove spirò il Tasso. Nei momenti liberi della mia ambasciata, alla finestra della mia cella, continuerei le mie *Memorie*. In uno dei luoghi più belli della terra, tra gli aranci e i lecci, l'intera città sotto i miei occhi, ogni mattina, mettendomi all'opera, tra il letto di morte e la tomba del poeta, invocherò il genio della gloria e dell'infelicità.

If I have the good fortune to end my days here, I have arranged to be given a nook in Saint Onofrio's, next to the room where Tasso died. In the spare moments of my mission at the window of my cell, I shall continue my Memoirs.

In one of the most beautiful places in the world, amidst orange trees and holly oaks, with the whole of Rome laid out before my gaze, each morning, in sitting down to work between the deathbed and the grave of the poet I shall invoke the spirit of glory and unhappiness.

Ho pronunciato "Roma" per l'ultima volta, per quest'anno almeno: probabilmente per un lungo tempo a venire, perché sebbene sia dispiaciuto di lasciarla – più di quanto pensassi – vi è qualcosa, in questo luogo, che mi darà sgomento all'idea di tornarvi. Addio, Roma mia!

Ruskin

…Mercoledì 19 aprile, partimmo da Roma dopo cena, e fummo condotti fino al Ponte Mollo da Mr de Noirmoutier, de la Tremouille, du Bellay e altri gentiluomini.

Montaigne

I date "Rome" for he last time this year, at least; probably for a long time to come, for though I am sorry to leave the place – more so than I though – there is something about it which will make me dread to return. Farewell, Roma mia!

Ruskin

…On Wednesday the 19th of April, we left Rome after supper and were taken to the Ponte Mollo by Mr. De Noirmoutier, de la Trémouille, du Bellay and other gentlemen.

Montaigne

Bibliografia

MICHELANGELO BUONARROTI, *Rime*, 1550

MICHEL EYQUEM DE MONTAIGNE, *Journal de voyage*, 1580

TOBIAS SMOLLETT, *Travels through France and Italy*, 1765

JOHANN WOLFANG GOETHE, *Italianische Reise*, 1786

LORD BYRON, *Letters to John Murray*, 1816

PERCY B. SHELLEY, *Letters to Thomas Love Peacock*, 1818

STENDHAL, *Promenades dans Rome*, 1828

FRANCOIS-RENÉ DE CHATEAUBRIAND, *Mémoires d'outre-tombe*, 1840

JOHN RUSKIN, *Diary*, 1840

CHARLES DICKENS, *Pictures from Italy*, 1844

HIPPOLYTE TAINE, *Voyage en Italie*, 1866

HENRY JAMES, *Italian Hours*, 1873

EMILIE ZOLA, *Rome*, 1893

JULIEN GRACQ, *Autour des sept collines*

finito di stampare nel mese di settembre 2012
da Palombi & Partner Srl, Roma